Toc, toc, Hiboux!

Claude Clément
Chantal Cazin

Père Castor
Flammarion

1. L'arbre aux hiboux

Au cœur
d'une forêt agréable,
une famille de hiboux vit
dans un arbre confortable.

Sur chaque branche,
chacun a son trou.

Grand-père Hibou
et Grand-mère Hibou vivent
sur la branche du dessous.
Papa Hibou et Maman Hibou
vivent sur la branche du dessus.
Sur la branche encore au-dessus
vivent Oncle Hibou
et Tante Hibou.
Sur la branche
encore encore au-dessus
habitent trois cousins Hibou.
Et sur la branche tout en haut
s'est installé Petit Hibou.

Dans son arbre,
la famille Hibou dort le jour
et vit la nuit, comme le font
tous les hiboux de partout.

2. Chacun chez soi

Une nuit,
le vent commence à souffler,
le tonnerre se met à gronder
et la pluie à tomber.

En peu de temps,
c'est la tempête.

Alors,
sur chaque branche,
chaque hibou penche la tête
et rentre vite dans son trou.

Pendant ce temps,
un oiseau de paradis cherche
un abri. Il est tout mouillé,
tout transi...

Il se pose sur l'arbre
aux hiboux. Et il frappe
sur la première branche
en disant :
– Je suis un oiseau de paradis.
J'ai faim, j'ai peur, je suis transi.
Je vous en prie, ouvrez-moi !

Mais
Grand-père Hibou est sourd
comme un vieux pot d'étain.
Et il n'entend jamais rien.
Grand-mère Hibou a peur de tout
et elle n'ouvrirait surtout pas
ses volets à un visiteur étranger.

Alors,
l'oiseau de paradis perdu
monte sur la branche
du dessus.
Il frappe du bec en disant :
– Je suis un oiseau de paradis.
J'ai faim, j'ai peur, je suis transi.
Je vous en prie, ouvrez-moi !

Mais Papa Hibou
et Maman Hibou jouent
aux dominos
et ils ne veulent pas arrêter
leur partie de sitôt.

Alors,
l'oiseau de paradis perdu
monte sur la branche
encore au-dessus.
Il frappe du bec en disant :
– Je suis un oiseau de paradis.
J'ai faim, j'ai peur, je suis transi.
Je vous en prie, ouvrez-moi !

Mais Oncle Hibou
et Tante Hibou regardent
la télé et ils ne veulent pas rater
leur émission préférée.

Alors,
l'oiseau de paradis perdu
monte sur la branche
encore encore au-dessus.

Il frappe du bec en disant :

– Je suis un oiseau de paradis.

J'ai faim, j'ai peur, je suis transi.

Je vous en prie, ouvrez-moi !

Mais les trois cousins Hibou
s'amusent avec
leurs jeux vidéos favoris
et ne veulent pas les prêter
à n'importe qui.

Alors, l'oiseau perdu monte enfin sur la dernière branche, tout en haut.
Là, il frappe encore du bec en disant :
– Je suis un oiseau de paradis.
J'ai faim, j'ai peur, je suis transi.
Je vous en prie, ouvrez-moi !

Petit Hibou l'entend et il ouvre sa porte tout grand.
– Viens te réchauffer !
propose-t-il sans hésiter.

Puis il offre
à l'oiseau de paradis perdu,
de quoi boire et de quoi manger.
Il n'a que quelques gouttes
de rosée et quelques pignons
de pin, mais l'oiseau a
tellement faim qu'il boit
et mange tout plein, tout plein.

Ensuite, il lui prête
une couette en plumes de pie.
Et l'oiseau s'endort
pour la nuit, pendant que
Petit Hibou s'envole
sur le chemin de l'école.

3. Bienvenue au bel oiseau perdu !

Au matin,
l'oiseau de paradis se réveille
juste à l'heure où Petit Hibou
revient se coucher.

Il lui dit :
– Je te remercie !
J'arrive d'un pays
où les oiseaux sont
de toutes les couleurs.
Nous n'aimons que la chaleur.
Mais nous sommes obligés
de venir chercher
quelques graines
pour nos petits. Quand l'hiver
devient trop froid et gris,
nous repartons vers notre pays
où il fait toujours beau
et chaud. Si tu veux,
je t'emmène avec moi.

– Il faut que je demande
à Maman et à Papa,
répond Petit Hibou.

En entendant leur fils,
Papa Hibou et Maman Hibou
se sentent un peu gênés
de ne pas avoir ouvert
à l'oiseau étranger.

Alors, ils vont chercher
Grand-père Hibou,
Grand-mère Hibou,
Oncle Hibou, Tante Hibou
et les trois cousins Hibou.

Tous ensemble, ils décident
d’organiser une fête
dans leur arbre de famille
en l’honneur
de l’oiseau voyageur.

Puis ils s'alignent sur une branche pour chanter une chanson :

Nous souhaitons la bienvenue
à ce bel oiseau perdu !
Qu'il soit comme chez lui
chez nous,
dans notre bel arbre
aux Hiboux.

L'oiseau de paradis est tellement ravi qu'il propose à toute la famille de venir un jour en vacances chez lui, dans le pays où la lune luit dans la chaude nuit endormie.

En attendant,
les hiboux se sont un peu serrés
sur les branches
où ils habitaient.
Et ils n'ont pas dormi
de la journée !
Ils ont fait des petits paquets
avec des jolis nœuds d'herbes
séchées.

Dedans, il y avait à manger
et des cadeaux pour amuser
les enfants de l'oiseau voyageur.

Puis un matin,
de bonne heure,
celui-ci est reparti,
dans son pays très loin d'ici.

Et il s'est mis à préparer,
de son mieux, de son côté,
un arbre confortable et doux,
bien abrité, dans la journée,
pour accueillir
ses amis hiboux.

Autres titres de la collection

nous a
ne do

rt

fort

papa ?
urquo

ésors e
s'approprie ceux des autres ! Mais ce ma
impossible de retrouver son bracelet pré